Ticiti-toc

Cerddi i blant

Golygwyd gan
Zohrah
Evans

Darluniau gan Kay Widdowson

GOMER

Argraffiad cyntaf – 1999

ISBN 1 85902 728 8

ⓗ cerddi: y beirdd 1999 ©

ⓗ lluniau: Kay Widdowson 1999 ©

Cynllun y clawr: Olwen Fowler

Y mae'r gyfrol hon yn rhan o Gynllun Cyhoeddiadau Cyd-bwyllgor Addysg Cymru.

CBAC

Cyhoeddir y gyfrol hon gyda chymorth grant Loteri 'Celfyddyd i Bawb' oddi wrth Cyngor Celfyddydau Cymru.

CRONFA LOTERI
LOTTERY FUND

Dymuna'r cyhoeddwyr gydnabod cymorth Adran Olygyddol Cyngor Llyfrau Cymru.

Argraffwyd yng Nghymru gan Wasg Gomer, Llandysul, Ceredigion SA44 4QL

Cynnwys

Dysgu

Dwi'm isio dysgu rhifo
a dysgu sut mae adio;
dwi isio dysgu dreifio bws
fel Mr Kirienko.

Dwi'm isio dysgu'r wyddor
a darllen drwy'r holl dymor;
dwi isio dysgu dreifio bws
sy'n chwyrnu fel hen dractor.

Dwi'm isio dysgu'r amser
bob munud tan ddydd Gwener;
dwi'n mynd i ddysgu dreifio bws –
wel . . . pan fydda i'n fwy o lawer.

Gwion Hallam

Dwi isio mynd i'r ysgol

Dwi isio mynd i'r ysgol,
mae'n swnio fel lle grêt:
dwi isio mynd i'r ysgol
fel Iwan Llwyd fy mêt.

Ond dyma 'niwrnod cyntaf
a minnau'n holi pam
ro'n i isio dod i'r ysgol:
plîs ga i fynd 'nôl at Mam?

Geraint Løvgreen

5

Hongian
o'r
to

"Paid hongian o'r to –
mae'n gyrru Mam o'i cho!" meddai Jo.

"Ac mae dringo i fyny'r wal
yn ei gyrru hi'n dwl-lal," meddai Sal.

"Ond mae trio'i gwylltio hi
yn eitha' hwyl a sbri," meddwn i.

"Hei – callia Gwion Rhys –
i'r gwely **nawr ar frys**!" meddai'r bys.

"Mae hongian o'r to
yn gyrru Dad o'i go," meddai o.

Gwion Hallam

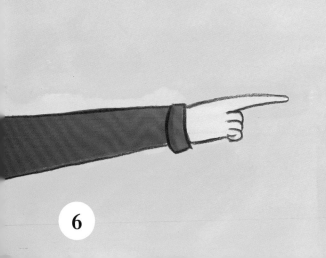

Chwaer fach newydd

Pen bach aur
Wyneb bach llon
Llygad bach glas
Ceg fach gron
Bys bach perffaith
Clust fach dwt
Bol bach llyfn
Trwyn bach smwt
Gên fach daclus
Tafod bach pinc
A sŵn MAWR MAWR
A methu cysgu winc.

Myrddin ap Dafydd

1

2

3

Un bachgen bach ar ben y byd,
Dwy iâr frown yn gori yn yr ŷd.

Tri mochyn bach yn teimlo'n ofnus –
Yn cael eu llyncu gan flaidd mawr barus.

Pedair o goesau gan geffyl a chi
A mul a llewpart, a chath tŷ-ni.

Pump o fysedd – llaw chwith, llaw dde –
Am *chwech* o'r gloch mae'n amser te.

Saith gwylan wen ar adenydd hir,
Wyth cwmwl gwyn yn yr awyr glir.

Naw o'r gloch! Mae'r ysgol yn dechra' –
Am *ddeg* dwi'n barod i fynd adra'.

Zohrah Evans

8

Pryfed prysur

Gwenu mae'r gwenyn
Pan ddônt i'r ardd
I gasglu eu neithdar
O'r blodau hardd.

A phrofi'r mêl melyn
(Gwaith melys o hyd)
Wna'r pryfed cop boliog,
Mor hapus eu byd.

Murmur mae'r morgrug
Wrth gario pob ffrwyth
A syrthiodd o goeden –
Mor drwm yw eu llwyth!

Mae'r ddwy fuwch goch gota
Yn ddiwyd drwy'r haf
Yn cyfri y ceirios
Yn yr heulwen braf.

Eirian Wyn Conlon

Fy hoff anifail

O, neidr gantroed annwyl,
fy hoff anifail i,
dwyt ti'm yn baeddu'r carped
na chnoi fy slipars i;

dwyt ti'm yn cadw twrw,
rwyt ti'n ddyfal yn yr ardd:
dwi ddim yn siŵr iawn be ti'n neud
ond bobol, rwyt ti'n hardd.

Geraint Løvgreen

Dyn y Tywydd

Neithiwr ar y teledu,
Roedd y dyn â'r map yn sôn
Am dywydd Cymru heddiw
O Fynwy i ben draw Môn.

   "Bydd hi'n braf bore fory
   Ar hyd a lled Cymru.

   Erbyn amser cinio
   Bydd yr haul yn cilio.

   Erbyn amser te
   Bydd cymylau yn y De.

   Ar ddiwedd y pnawn
   Cawodydd a gawn.

   Gyda'r nos bydd taranau
   Ar hyd y glannau."

Ond pan godais heddiw
Edrychais yn syn.
Roedd eira ym mhobman
A'r byd yn wyn.

Un sy'n dweud celwydd
Yw dyn y tywydd.

Zohrah Evans

13

Cân y trên

Ticiti-toc, ticiti-toc,
Rwy'n brysio tua'r pellter,
Ticiti-toc, ticiti-toc,
Wrth geisio cadw amser.

Bwcidi-bo, bwcidi-bo,
Rwy'n crynu yn y twnnel,
Bwcidi-bo, bwcidi-bo,
Wrth blygu i lawr yn isel.

Ticiti-toc, ticiti-toc,
Rwy'n teithio'n gynt na'r gwyntoedd,
Ticiti-toc, ticiti-toc,
Wrth ruthro am filltiroedd.

Stesion-a-stop, stesion-a-stop,
Rwy'n chwythu mwg yn araf,
Stesion-a-stop, stesion-a-stop,
Wrth chwyrnu yn yr orsaf.

Ticiti-toc, ticiti-toc,
I'r pellter unwaith eto,
Ticiti-toc, ticiti-toc,
'Dyw amser byth yn stopio.

Gwion Hallam

Y diwrnod ar ôl i'r ysgol orfod cau

Haul y bore,
Meicrodon yw . . .
Ydi'r dyn eira'n
Dal yn fyw?

Ydi'r wlad i gyd
Dan dywydd garw?
Ydi'r ysgol yn
Dal yn farw?

Mae'r freuddwyd wen
Heddiw'n llwyd;
Mae'r dyn yn yr ardd
Yn brin o fwyd;
Mae'n llwgu'n llyn
A'i fol mawr
Yn ddim ond crystyn
Bach ar lawr.

Ddoe, roedd hi mor dda:
Eira a rhew,
Ein calonnau'n ysgafn
A'n chwerthin yn dew,
Ond heddiw daw adar
Y gwanwyn i'n clyw …
Ydi'r dyn eira'n
Dal yn fyw?

Myrddin ap Dafydd

Y gornel dywyll

Mae gen i gornel dywyll fach
    Yng nghefn fy stafell wely
Dim ond y fi sy'n mynd i'r lle
    Achos dim ond y fi sy'n gallu.

Mae'r gornel yma weithiau'n troi
    Yn unrhyw beth rwyf eisiau,
Trwy gau fy llygaid bach yn dynn
    A meddwl am y gorau.

Mae weithiau'n llong sy'n croesi'r môr
    A chyrraedd traeth Awstralia,
Neu weithiau'n gar yn mynd ar ras,
    A fi yn dod yn gynta'.

Unwaith ro'n i'n frenin mawr,
    Ac ar fy mhen roedd coron,
Ac yna ro'n i'n sgorio cais
    A Chymru'n curo'r Saeson.

Lle bynnag rwyf yn mynd ar daith,
    I'r gogledd neu i'r de,
Rwy'n gwibio'n ôl pan glywaf Mam
    Yn gweiddi, "Amser te!"

Tudur Dylan Jones

Hen fenyw fach

Hen fenyw fach Cydweli
Nid yw ddim uwch na metr,
Mae'n mynd bob Dydd Gŵyl Dewi
I dorri cennin Pedr,
Ond pan ddaw'n ôl, a hithau heb stôl,
Eu rhoi mewn jar, ni fedr.

Myrddin ap Dafydd

20

Hwyl Gŵyl Drewi

"Na, nid Dydd Gŵyl *Drewi*, Siân –
Ble mae dy chwalwr di?
Oes un o'r dosbarth wedi'i weld?
Dewch, chwiliwch gyda ni."
Chwilio mawr a chwalu ymhell
Drwy'r trugareddau mân,
Chwalu pob bocs, chwilio pob bwrdd,
Chwilio am chwalwr Siân.
"Un pinc a chrwn, dyna oedd hwn …"
A gwaeddodd Sionyn, "O!
Meddyliais ei fod yn *chewing-gum*;
Dwi wedi'i fwyta fo!"

Myrddin ap Dafydd

Affrica yn fy mhen

Mi glywais eliffantod
yn canu sol-ffa tonic
a dau heïna'n chwerthin
wrth ddarllen eu hoff gomic,

mi welais i ddau sebra
mewn siwts pìn-streip reit smart
ac wedyn mewn siwmperi
smotiog newydd, ddau lew-part;

roedd dau jiráff yn dawnsio
yn osgeiddig rhwng y coed
ac wrthi'n dysgu'r wyddor
roedd y nadroedd clyfra 'rioed;

mewn sawna gwelais hipo
yn chwysu yn yr haf
a baedd gwyllt yn ymlacio
ar wely haul yn braf;

yn sydyn pasiodd tacsi
yn llawn mwncïod hy –
ond wedyn gwelais grocodeils ...
a rhuthrais 'nôl i'r tŷ.

Geraint Løvgreen

Yn y nyth

Mewn nyth ar ben y gangen
neithiwr wrth ddrws y tŷ
roedd yno gywion melyn
yn canu oddi fry.

Ar gangen arall wedyn
eisteddai gwiwer lwyd
yn edrych ar y cywion,
yn disgwyl am eu bwyd.

Ond gyda'r wawr rwy'n sylwi
ar blisgyn ar y llawr,
y wiwer wedi rhedeg
a'r nyth yn wag yn awr.

Tudur Dylan Jones

Breuddwyd

Fuest ti 'rioed ar geffyl gwyn
Yn gyrru ar garlam i fyny'r bryn
Nes neidio i fyny at gwmwl bach
A hofran yn hapus yn yr awyr iach
Cyn glanio yn ysgafn ar enfys hardd
A llithro i lawr i waelod yr ardd,
Tyllu am grochan o aur gwerthfawr iawn
I brynu cist drysor sy'n llwythog a llawn
O emau a pherlau môr-forwyn dlos?
Mi wnes *i*'n fy mreuddwyd yng nghanol y nos.

Eirian Wyn Conlon

Barcud

Mae'r barcud yn codi ar adain y gwynt,
Yn dringo a gwibio yn gynt ac yn gynt,
Chwyrlïo a throelli mae'i gynffon fawr hir
Fel neidr amryliw i lawr at y tir.
A phob ruban lliwgar fel glöyn byw hardd
Yn hofran o amgylch holl flodau'r ardd.

Mae'r llinyn yn llacio – a disgyn i lawr
Yn gyflym fel gwylan mae'r barcud yn awr.
O blith y cymylau mae'n plymio fel saeth
Nes glanio yn dwmpath bach blêr ar y traeth.

Eirian Wyn Conlon

Y sgerbwd

Ar y sgerbwd sy'n cuddio tu mewn i bob un
y mae 'na drysorau yn hongian,
cyhyrau,
gwythiennau'n
llinynnau
a thiwbiau,
a thu fewn i'r asennau
mae calon fawr, fywiog,
ysgyfaint a stumog.
Yn y benglog, dan orchudd,
mae yna ymennydd
sy'n rheoli'r
cyhyrau,
gwythiennau,
llinynnau
a thiwbiau,
tu fewn yr asennau,
y galon a'i falfiau,
ac ysgyfaint a stumog
pob bachgen, pob merch,
pob dynes, pob dyn ...
Oherwydd bod sgerbwd
tu mewn i bob un.

Tudur Dylan Jones

Amser mynd adref

Dod o ysgol y desgiau
  i'r haul a'r awyr olau,
    ni'n hunain, a'r prynhawniau
    yn hir, yn para oriau,
    a chyrraedd y maes chwarae,
    ei gyrraedd heb ffigyrau
    na rhesi athrawesau,
    na thablau
    na chlychau
   na chlo
  na gweiddi
  na gwersi
  na gwaith
   na 'sgrifbin ... am mai ninnau
   biau'r hwyl heb reolau.

Tudur Dylan Jones

29

Fy stafell wely

Mae Mam wedi gwylltio yn gacwn
(un dda iawn am wylltio 'di Mam)
mae hi'n deud fod fy stafell yn llanast
ond wir, fedra'i ddim deall pam.

Mae 'nghrys nos i yn hongian o'r wardrob
a fy siwmper yn dwt dros y lamp
ac roedd lluchio fy nghôt dros fwlyn y drws,
os ca i ddeud, yn dipyn o gamp.

"Mae'n siŵr bod dy hen sanau drewllyd
yn mygu'r jyrbils!" medd Mam,
"ac mae'r lle 'ma'n debycach i jyngl
efo geriach ar lawr ym mhob man!"

Ond beth os yw sosejys neithiwr
ar blât dan 'y ngwely o hyd?
Os bydda i'n llwgu yng nghanol y nos
mi wnân' damaid i aros pryd.

Dw *i* yn hoff iawn o fy stafell
ond yr un ydi'r ffrae bob dydd Llun.
O plîs, Mam bach, ga i lonydd
i fyw yn fy llanast fy hun?

Geraint Løvgreen

Cân cyn cysgu

Mae hi'n amser cau y llenni
Pan fo'r haul yn mynd i gysgu,
Swatiwch blant o dan flancedi,
Cysgu, cysgu, hen blant bach.

Dyn y lleuad sydd yn gwylio
Dros y wlad yn dawel heno,
Nid oes dim all eich dihuno
Heno, heno, hen blant bach.

Seren arian ddaw o rywle
I ddisgleirio'n grwn fel dime
Ac i'ch gwarchod tan y bore,
Dime, dime, hen blant bach.

Wedi'r nos daw'r haul o'i wely
I ddihuno pawb yfory,
Bydd y wawr yn siŵr o'ch codi
Fory, fory, hen blant bach.

Gwion Hallam